LA GRANDE IMAGERIE

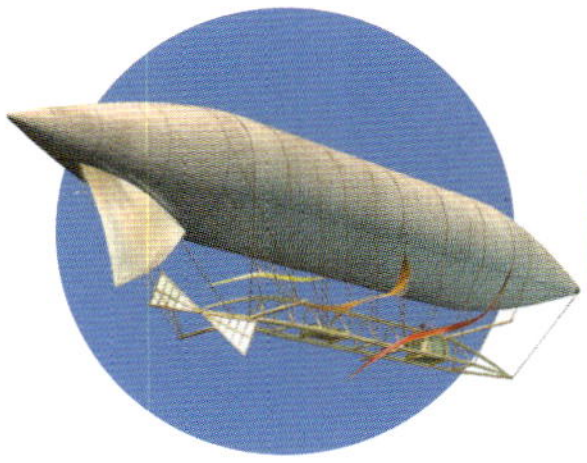

LA TOUR EIFFEL

TEXTES CATHY FRANCO
ILLUSTRATIONS JACQUES DAYAN

FLEURUS

UN PROJET POUR PARIS

Au début des années 1880, en France, l'idée d'une exposition universelle célébrant avec éclat le centenaire de la Révolution française est lancée. Une exposition universelle est une très grande foire où les pays du monde entier sont invités à exposer leurs toutes dernières inventions et œuvres d'art. Le pays qui invite doit bien entendu se distinguer avec une réalisation exceptionnelle qui force l'admiration de tous. C'est dans ce contexte que le projet de la tour Eiffel voit le jour.

Une tour pour Paris

En novembre 1884, l'Exposition universelle de 1889 est annoncée officiellement. Aussitôt, Eiffel rachète le projet de tour de 300 m à ses ingénieurs. Il faut dire qu'entre-temps le dessin a été habillé par l'architecte Stephen Sauvestre, donnant à la tour un aspect plus attrayant avec des arches décoratives et des statues (ci-contre). Pendant 2 ans, Eiffel s'emploie à défendre l'édifice dans la presse et auprès des autorités. L'homme a déjà l'expérience des grandes réalisations métalliques et sait gérer de grands chantiers. Il convainc tant et si bien qu'il parvient à faire inscrire le projet d'une tour de 300 m en fer dans le cadre de l'Exposition universelle.

Une tour de 300 m

Au XIXe siècle, l'essor de la construction métallique encourage les projets les plus audacieux. Dès 1833, un ingénieur anglais propose d'édifier à Londres une tour en fonte atteignant la hauteur symbolique de 1 000 pieds (300 m). Pour l'Exposition universelle de Philadelphie, en 1876, deux Américains imaginent également une tour métallique de 300 m. Ces édifices ne sont pas réalisés, mais l'idée d'une tour vertigineuse fait son chemin.

Première ébauche de la tour Eiffel

En 1884, Gustave Eiffel est un ingénieur renommé, spécialiste des constructions métalliques. Deux ingénieurs de son entreprise, Maurice Koechlin et Émile Nouguier, cherchent une idée forte, capable de marquer l'Exposition universelle qui fêtera les 100 ans de la Révolution française. S'inspirant des pieds des grands viaducs métalliques, ils réalisent l'avant-projet d'une tour de 300 m qu'ils présentent à Eiffel. Ce dernier, peu enthousiaste, autorise toutefois ses ingénieurs à en poursuivre l'étude.

Voici une proposition d'« habillage » de la tour par l'architecte Sauvestre. Après le concours, Eiffel simplifie un peu ce dessin, mais il conserve les arches décoratives.

Le concours

Le 2 mai 1886, un concours d'idées est lancé pour la construction d'une tour en fer de 300 m. Le projet d'Eiffel répond en de nombreux points à ce qui est demandé. 107 concurrents se lancent alors dans la compétition. Eiffel remporte le concours sans trop de surprises.

Ci-dessous, quelques projets non primés dont la « tour Soleil » qui était coiffée d'un énorme phare capable d'éclairer Paris dans ses moindres recoins. Des projets plus farfelus furent présentés, comme une tour géante en forme d'arrosoir ou une gigantesque guillotine symbolisant la Révolution, mais il n'en reste pas de représentation.

L'ŒUVRE D'EIFFEL

En 1886, lorsqu'il se voit confier le chantier de la tour Eiffel, Gustave Eiffel a 54 ans. C'est un ingénieur connu dans le monde entier pour ses constructions métalliques en tous genres : ponts, grands viaducs ferroviaires, charpentes métalliques, gares, usines... Il est aussi à l'origine de l'astucieuse armature en fer de la statue de la Liberté, cadeau de la France aux États-Unis. La tour marque le couronnement de sa carrière.

La statue de la Liberté

Cette célèbre statue, qui se trouve à l'entrée du port de New York, est réalisée entre 1875 et 1884, en France, par le sculpteur Frédéric Auguste Bartholdi. Gustave Eiffel en conçoit la structure interne en fer qui va permettre de supporter les 204 tonnes de la statue en cuivre et la rendre résistante aux vents les plus violents. À l'intérieur, des escaliers permettent aux visiteurs d'atteindre le haut de la torche, à 46 m de hauteur (sans compter le socle) !

La statue de la Liberté est assemblée à Paris avant d'être démontée et envoyée par bateau à New York, où elle est inaugurée le 28 octobre 1886.

Gustave Eiffel

Né à Dijon en 1832, il fait ses études dans une grande école d'ingénieurs. Il réalise son premier pont à l'âge de 26 ans puis fonde sa propre entreprise qui prospère rapidement. Marié en 1852, il a cinq enfants. Après la construction de la tour Eiffel, il entame une carrière de savant. Il meurt à l'âge de 91 ans.

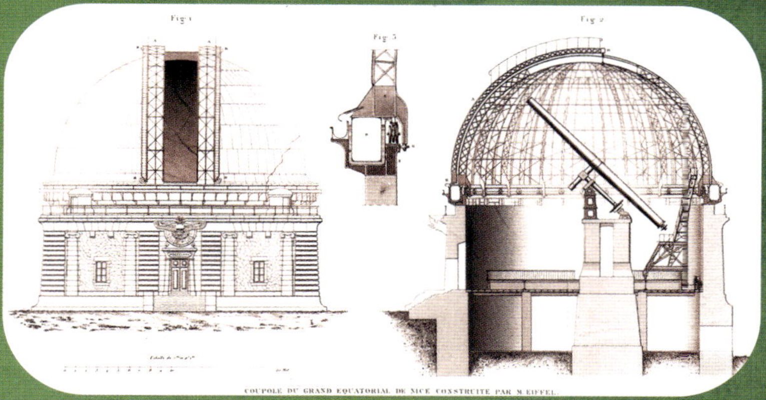

Le magicien du fer

Grâce à l'utilisation du fer, maniable, léger et très résistant, Eiffel réalise d'audacieuses constructions, à la fois inventives et ingénieuses, qui lui valent le surnom de « magicien du fer ». Ci-contre, la coupole de l'Observatoire de Nice, en France, dont il réalise l'armature métallique et l'astucieux mécanisme qui la rend mobile. C'est, encore aujourd'hui, la plus grande coupole d'Europe.

Le viaduc de Garabit

Situé dans le Massif central, en France, il a été construit par Gustave Eiffel entre 1881 et 1884. Il mesure 565 m de long et enjambe les gorges de la Truyère à 122 m de hauteur. Les deux extrémités de l'arche gigantesque furent montées simultanément, maintenues en place par des câbles d'acier. Allaient-elles se rencontrer ? Les calculs d'Eiffel étaient si précis qu'elles s'ajustèrent au millimètre près ! Les matériaux étaient hissés à partir d'un pont en bois édifié en contrebas.

Aujourd'hui, le viaduc de Garabit est toujours emprunté par les trains.

LA CONSTRUCTION DE LA TOUR EIFFEL

Gustave Eiffel s'engage à construire la tour pour l'ouverture de l'Exposition universelle prévue le 6 mai 1889. Il obtient le droit de l'exploiter pendant 20 ans, délai au terme duquel elle sera démontée. Dès le début du chantier, une pléiade d'artistes et d'écrivains signent une pétition contre « l'inutile et monstrueuse tour Eiffel » qui va « défigurer Paris ». Malgré les critiques, la tour sera terminée en 2 ans, 2 mois et 5 jours ! Un record de vitesse pour un si grand monument.

Les fondations

La tour Eiffel est construite en bordure de Seine, sur la vaste esplanade du Champ-de-Mars. Le 26 janvier 1887, le premier coup de pioche est donné. Gustave Eiffel a prévu de placer les quatre pieds de la tour aux quatre points cardinaux (Nord, Sud, Est, Ouest). Les fondations des deux pieds les plus éloignés de la Seine sont creusées dans un terrain sec et consistant jusqu'à 7 m de profondeur. Les fondations des deux pieds situés le plus près de la Seine posent plus de problèmes. Le sous-sol est gorgé d'eau et il faut creuser encore plus profondément pour atteindre le meilleur appui possible. Pour cela, Eiffel utilise de drôles de caissons étanches à l'intérieur desquels l'eau ne peut pas pénétrer.

Les fondations des deux pieds les plus proches de la Seine sont creusées à l'aide de caissons métalliques sans fond, à l'intérieur desquels travaillent les terrassiers.

Pour construire le plus haut monument du monde, il faut s'appuyer sur de solides fondations, ancrées profondément dans le sol. À l'époque, bulldozers et excavatrices n'existent pas. Les terrassiers attaquent les fondations à coups de pioche. La terre est extraite à la pelle et évacuée par des charrettes tirées par des chevaux.

À mesure que les terrassiers creusent (1), le caisson métallique s'enfonce sous son propre poids. La boue est remontée en surface à l'aide de seaux par une échelle (2) et évacuée dans la partie supérieure du caisson (3 et 4). Quand le caisson a atteint une base solide, il ne reste plus qu'à le remplir de béton. Quatre caissons sont utilisés par pied (voir page suivante).

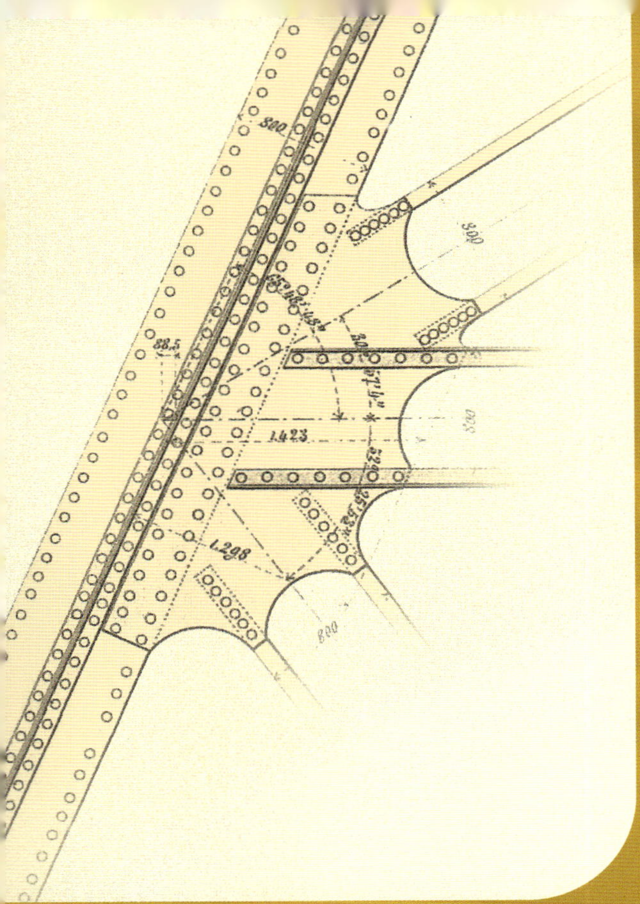

Un gigantesque Meccano

Eiffel conçoit la tour comme un Meccano géant. Les poutrelles arrivent sur le chantier déjà préassemblées, numérotées, avec des trous préalablement percés pour y enfoncer les rivets. Chacune a fait l'objet d'un dessin particulier. Elles ont été fabriquées par les forges de Pompey, dans l'Est de la France, puis préparées dans les ateliers d'Eiffel, à Levallois. La construction de la tour nécessite plus de 4 000 dessins, soit une surface de papier de 4 000 m^2 !

Les pièces arrivent sur le chantier prêtes à l'emploi, à bord de véhicules tirés par des chevaux. Là, une grue les soulève et les charge sur des wagonnets qui circulent le long de quatre rails menant aux quatre pieds de la tour. Si elles présentent un défaut quelconque, elles sont aussitôt renvoyées aux ateliers de Levallois pour être retouchées.

LE LEVAGE DES MATÉRIAUX

Les premières pièces sont hissées à l'aide d'engins de levage rudimentaires. Puis des grues astucieuses sont mises en place. Fonctionnant à la vapeur, pivotantes, elles se déplacent sur le chemin de roulement des futurs ascenseurs. Elles peuvent soulever une charge de 3 000 kg.

La tour sort de terre

Le montage de la partie métallique commence le 1er juillet 1887. Chaque pied de la tour est formé de quatre arêtes (quatre coins) qui disposent chacune de leur propre massif de fondations (1). Une fois la tour de 7 300 tonnes construite, le sol n'aura ainsi à supporter qu'une faible pression, équivalente à celle d'un homme assis sur une chaise ! Deux boulons d'ancrage (2) dépassent de chaque massif. Ils vont servir à fixer solidement la tour à ses fondations. Les arêtes s'appuient sur de simples étais (3). Puis l'on construit des pylônes en bois (4) pour les soutenir.

Une opération délicate

Décembre 1887. Le premier étage est bientôt atteint. On a construit de grands échafaudages en bois, un entre chaque pied, pour soutenir les quatre grosses poutres de ceinture du premier étage. C'est le moment le plus délicat du chantier : les quatre pieds doivent rencontrer ces poutres transversales et s'ajuster parfaitement avec elles. Pour cela, on corrige l'inclinaison des pieds et leur hauteur.

D'astucieuses boîtes remplies de sable ont été calées entre les arêtes et les pylônes en bois qui les soutiennent. En vidant lentement le sable qu'elles contiennent, on agit sur un piston qui descend et permet de régler l'inclinaison des pieds.

Pour soulever légèrement chaque arête et régler ainsi la hauteur des pieds, on a placé sous chacune d'elles un vérin (1), sorte d'énorme cric d'une force de 800 tonnes.

De l'eau sous pression, envoyée à l'aide d'une pompe à main (2), fournit la force nécessaire pour actionner le vérin hydraulique.

L'assemblage de la tour nécessite 2 500 000 rivets !

L'assemblage des poutrelles

Il est réalisé par les charpentiers à l'aide de boulons provisoires. Puis les riveteurs interviennent pour fixer définitivement les pièces entre elles avec des rivets. Ils travaillent par équipes de quatre. Le « mousse » (A) chauffe le rivet au rouge. Le « teneur de tas » (B) l'introduit dans le trou et le maintient par la tête. Le « riveteur » (C) frappe sur l'extrémité opposée pour former l'autre tête. Le « frappeur » (D) finit d'aplatir la tête à coup de masse.

La jonction des quatre pieds avec les poutres de ceinture du premier étage est réalisée avec une précision mathématique. Chaque trou correspond exactement à chaque futur rivet. On a désormais une assise solide pour construire le reste de l'édifice.

Les charpentiers du ciel

En moyenne, 150 ouvriers s'activent sur le chantier. Ils travaillent 9 heures par jour l'hiver et jusqu'à 12 en été. On les appelle les « charpentiers du ciel » car ils exercent à des hauteurs jamais atteintes pour l'époque. Véritables équilibristes, bravant le vent, le froid et le gel de l'hiver 1888-1889, ils font l'admiration des Parisiens qui se pressent tous les jours plus nombreux au pied de la tour pour les voir travailler.
Malgré une courte grève, à la suite de laquelle Gustave Eiffel accorde une augmentation de salaire, l'ambiance du chantier est bonne. Eiffel est aimé de ses ouvriers et chacun a conscience de travailler à une œuvre grandiose et unique au monde.

Les charpentiers du ciel travaillent sur de minuscules plates-formes au bord du vide, sans filets de protection. Eiffel ne les a pas recrutés au hasard : la plupart ont déjà travaillé au montage du viaduc de Garabit et ne craignent pas le vertige. D'autres sont d'anciens marins habitués à escalader les mâts.

LE PLUS HAUT MONUMENT DU MONDE

En 1889, la tour Eiffel culmine à 300,51 m. Elle est alors le plus haut monument jamais construit et le restera jusqu'à la construction du Chrysler Building (319 m), à New York, en 1930. De la troisième plate-forme, le regard porte jusqu'à 80 km par temps clair ! Le sommet est couronné de deux arches surmontées d'une lanterne abritant un puissant phare.

Toujours plus haut

Une fois le premier étage atteint, la construction continue sans échafaudages. Au-delà du second étage, le nombre de grues est réduit à deux. Les peintres et les plombiers, qui installent les conduites de gaz pour l'éclairage, suivent les riveteurs. Dans les 25 derniers mètres, la construction de la tour s'accélère. Les ouvriers travaillent même le dimanche pour tenir les délais. La tour gagne 7 m par jour.

15 mai 1888 : *montage des piliers au-dessus de la première plate-forme.*

11 septembre 1888 : *le deuxième étage est terminé. La tour continue sa progression vers le ciel.*

26 décembre 1888 : *la tour s'élève désormais à 195 m.*

31 mars 1889 : *la tour atteint sa hauteur définitive, 1 mois et 6 jours avant le début de l'Exposition universelle. Il ne reste plus qu'à mettre en service les ascenseurs.*

Les ascenseurs

En 1889, installer ces engins d'invention toute récente sur la tour la plus haute du monde est un véritable défi technique. D'autant plus que les piliers de la tour grimpent en biais et changent de pente en cours de trajet. Au total, Gustave Eiffel fait installer cinq ascenseurs : deux dans les piliers est et ouest, qui desservent le premier étage ; deux dans les piliers nord et sud, qui desservent le deuxième étage, et un cinquième qui relie le deuxième et le troisième étage. Ce sont des ascenseurs hydrauliques : de l'eau sous pression fournit la force nécessaire à leur déplacement. L'ascension jusqu'au sommet prend 7 minutes.

Ce drôle d'ascenseur, fabriqué par la société américaine Otis, dessert directement le deuxième étage par le pilier nord. Un autre, identique, fait la navette entre le premier et le deuxième étage dans le pilier sud. Il est formé de deux cabines superposées où peuvent prendre place en tout 42 personnes. Les sièges sont inclinables pour suivre les variations de pente des piliers.

L'ascenseur qui relie le deuxième et le troisième étage est formé de deux cabines s'équilibrant : pendant que l'une monte, l'autre descend, faisant contrepoids. Elles échangent leurs voyageurs sur un palier intermédiaire à 175 m.

Les escaliers

Les visiteurs qui le souhaitent peuvent emprunter les escaliers qui serpentent à travers la charpente de la tour : 363 marches entrecoupées de paliers permettent d'accéder au premier étage, puis il faut gravir encore 380 marches jusqu'au deuxième. À l'origine, un interminable escalier en colimaçon de 1 061 marches reliait le deuxième au troisième étage. Trop périlleux, il a été remplacé par deux escaliers droits. Un tronçon d'origine a été conservé au premier étage de la tour.

L'inauguration

Le 31 mars 1889, Gustave Eiffel organise une petite fête de fin de chantier pour inaugurer sa tour. La veille, des invitations ont été envoyées aux représentants du gouvernement, à ceux du Conseil municipal de Paris ainsi qu'à une cinquantaine de personnalités. Tous répondent présents. Comme les ascenseurs ne sont pas encore en service, le cortège s'engage à la suite d'Eiffel dans les escaliers. Seule une vingtaine d'invités, sur la centaine présente, parviennent essoufflés au sommet. Eiffel, très ému, hisse un immense drapeau tricolore, tandis que 21 coups de canon retentissent dans le ciel de Paris. Au pied du monument, les ouvriers, dans leur plus belle tenue, trinquent en buvant du champagne.

LA REINE DE L'EXPO

La tour est ouverte au public le 15 mai 1889, 9 jours après le début de l'Exposition universelle. Aussitôt, elle vole la vedette à toutes les autres attractions. On vient du monde entier pour en faire l'ascension. Certains profitent du voyage pour réaliser des exploits : des Américains viennent en voilier, des Italiens à vélo par les Alpes, des Autrichiens en brouette ! Durant les 6 mois que dure l'Exposition, la tour accueille près de 2 millions de visiteurs, soit près de 12 000 par jour !

Des visiteurs célèbres

La tour reçoit des visiteurs de prestige comme le shah de Perse, le prince de Galles ou encore Buffalo Bill, le célèbre héros du Far West. La visite de Thomas Edison, l'inventeur de l'ampoule électrique et du phonographe, fait également sensation. Eiffel le reçoit en compagnie de sa fille, Claire, dans le petit salon particulier qu'il a fait installer au sommet de la tour. Cette scène a été reconstituée en haut de l'édifice avec des personnages en cire.

La tour Eiffel sert d'entrée monumentale à l'Exposition.

Des attractions à tous les étages

Au premier étage, les visiteurs peuvent acheter des souvenirs et louer des jumelles. Une luxueuse salle de spectacle a été aménagée, ainsi qu'un bar et deux restaurants (un russe et un français). Au deuxième, le journal *Le Figaro* a installé une imprimerie. Chaque jour, toutes les nouvelles de l'exposition y sont publiées. Les visiteurs qui le souhaitent peuvent se faire remettre un exemplaire à leur nom, ce qui leur sert de certificat d'ascension. Le troisième étage permet d'admirer, à l'abri de vitres, le panorama exceptionnel.

LA FÊTE DE LA NUIT

Elle a lieu tous les soirs à la nuit tombée : les visiteurs découvrent avec émerveillement les illuminations de la tour, éclairée par des milliers de becs de gaz protégés par des globes opalins. Sur chaque plate-forme crépitent des feux de Bengale. Au dernier étage, deux projecteurs montés sur un rail circulaire balaient de leurs longs faisceaux les différents quartiers de Paris tandis que, plus haut, le phare lance des signaux bleu-blanc-rouge toutes les 90 secondes. Autour, des fontaines lumineuses jaillissent à plus de 20 m de haut.

SAUVÉE PAR LA SCIENCE

En 1900, la tour échappe à des transformations visant à lui donner une nouvelle jeunesse. Prévue pour durer 20 ans, elle doit être démolie en 1909. C'est pourquoi, dès la fin de la construction, Gustave Eiffel s'emploie à lui trouver une utilité. L'édifice devient le champ de nombreuses expériences scientifiques et participe aux débuts de la TSF, l'ancêtre de la radio. C'est grâce aux services rendus par la TSF que la tour est finalement conservée.

Projet de transformation de la tour Eiffel par Stephen Sauvestre (l'architecte qui conçut la tour avec Gustave Eiffel). L'édifice est flanqué de deux tours latérales permettant d'atteindre directement le deuxième étage et de téléphériques (A) voyageant de l'une à l'autre.

Les projets de transformation de la tour Eiffel

À l'aube de l'Exposition universelle de 1900, un concours de projets est lancé pour transformer la tour Eiffel. On cherche à lui donner de nouveaux attraits pour l'intégrer à l'Exposition. L'idée est finalement abandonnée. On procède juste à quelques améliorations comme le remplacement de l'éclairage au gaz par l'électricité. Dans les piliers Est et Ouest, de nouveaux ascenseurs hydrauliques sont mis en service. Ils fonctionnent toujours aujourd'hui ! Leur incroyable machinerie peut même être visitée.

L'artiste Henri Toussaint propose d'édifier autour de la base de la tour Eiffel un immense palais aux parois de verre, consacré à l'électricité et au génie civil (techniques de construction).

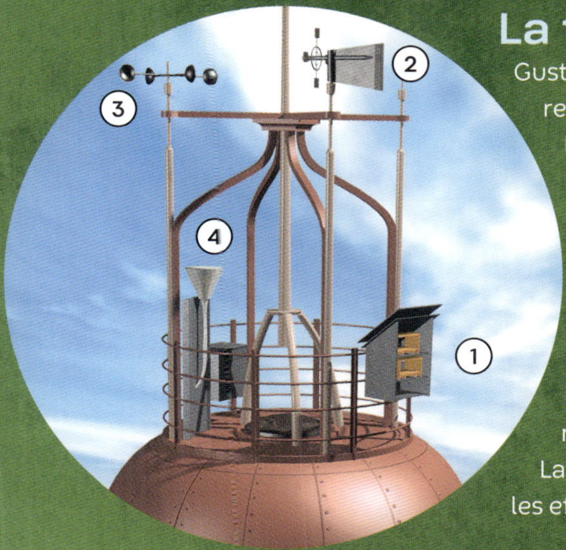

La tour des sciences

Gustave Eiffel est persuadé que sa tour peut rendre de grands services à la science.

D'abord, l'édifice constitue un observatoire météorologique idéal car l'air est plus pur au sommet. Eiffel y installe une batterie d'instruments : un thermomètre et un hygromètre mesurent la température et l'humidité de l'air (1), une girouette donne le sens du vent (2), des anémomètres indiquent sa vitesse (3), un pluviomètre mesure la quantité d'eau tombée sur Paris (4).

La tour intéresse aussi les médecins qui étudient les effets de l'altitude sur l'organisme.

La tour des télécommunications

Dès 1898, la tour Eiffel sert aux premiers essais de télégraphie sans fil (émission et réception de messages codés en morse). Chaque année, la TSF porte de plus en plus loin. L'armée s'y intéresse. Aussi, en 1910, la concession accordée à Eiffel est renouvelée pour 70 ans. La tour est sauvée ! Plus tard, elle participe aux débuts de la radio et de la télévison. Aujourd'hui, de nombreuses émissions de télévision diffusées dans la région parisienne passent par l'antenne relais de la tour Eiffel.

Un laboratoire à grande échelle

Gustave Eiffel est passionné d'aérodynamique : l'étude des corps en mouvement dans l'air, qui va favoriser le développement de l'aviation. Pour étudier quelles formes se déplacent le plus facilement dans l'air, il lâche différentes maquettes le long d'un câble tendu entre le deuxième étage de la tour et le sol, puis mesure le temps parcouru. Il poursuit ses expériences en installant une soufflerie au pied de la tour, par la suite transférée à Auteuil. Tous les pionniers de l'aviation y ont testé leurs maquettes.

LA TOUR DES EXPLOITS

Dès l'origine, la tour Eiffel attire des aventuriers en quête d'exploits les plus fous ou les plus insolites. Dans les premiers temps, l'idée est de gravir les marches de l'édifice de la façon la plus originale : sur des échasses, à vélo, à moto, à cloche-pied, à reculons... Puis les exploits se diversifient et deviennent de plus en plus audacieux.

L'homme oiseau

Le tailleur Franz Reichelt prétend qu'il peut voler comme un oiseau. Il s'est confectionné une cape censée faire office de parachute (1). Un matin de février 1912, il s'élance du premier étage de la tour Eiffel (2 et 3). Le malheureux s'écrase 57 m plus bas, sous les yeux horrifiés des journalistes et des photographes présents pour l'occasion.

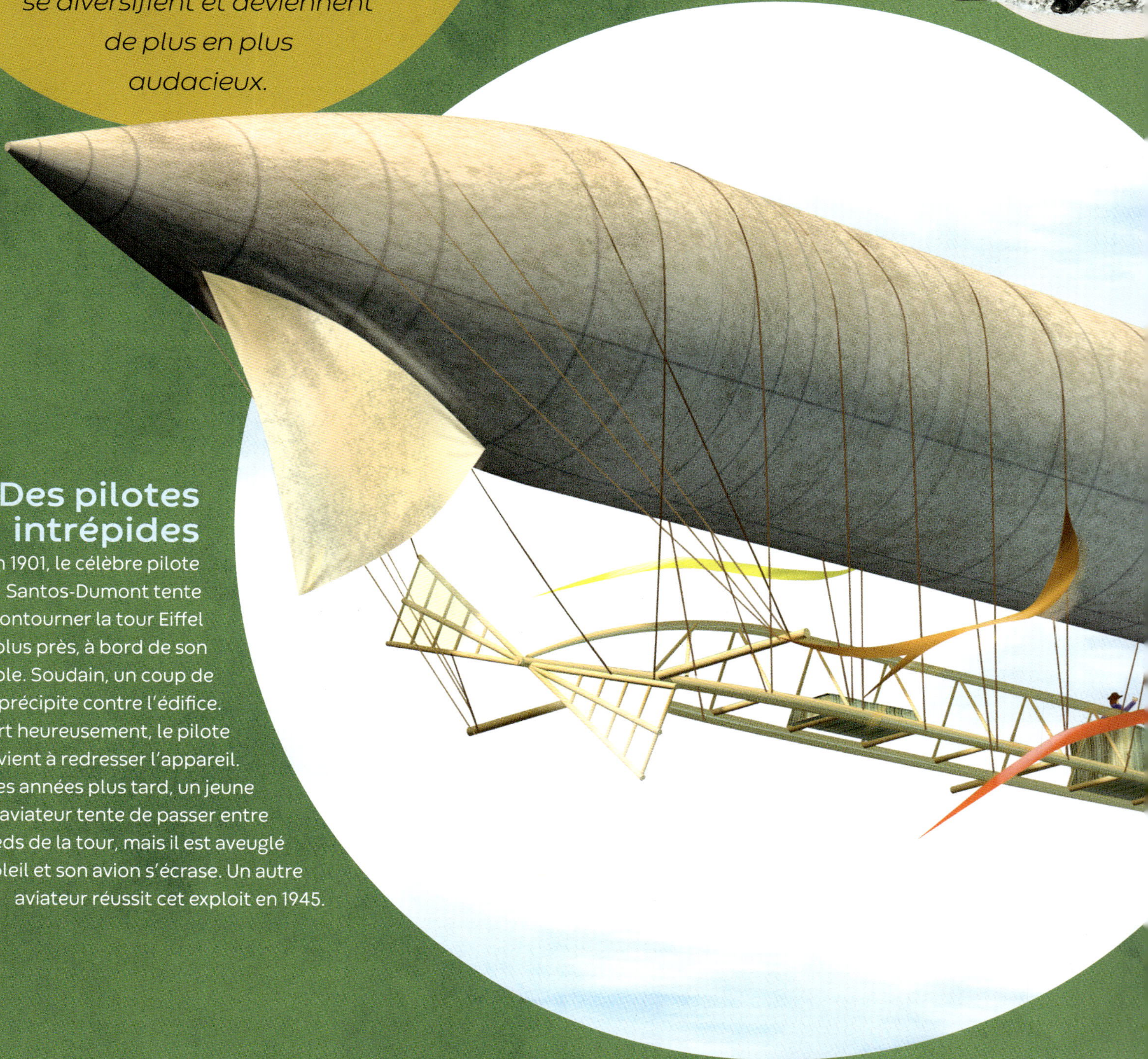

Des pilotes intrépides

En 1901, le célèbre pilote Santos-Dumont tente de contourner la tour Eiffel au plus près, à bord de son dirigeable. Soudain, un coup de vent le précipite contre l'édifice. Fort heureusement, le pilote parvient à redresser l'appareil. Quelques années plus tard, un jeune aviateur tente de passer entre les pieds de la tour, mais il est aveuglé par le soleil et son avion s'écrase. Un autre aviateur réussit cet exploit en 1945.

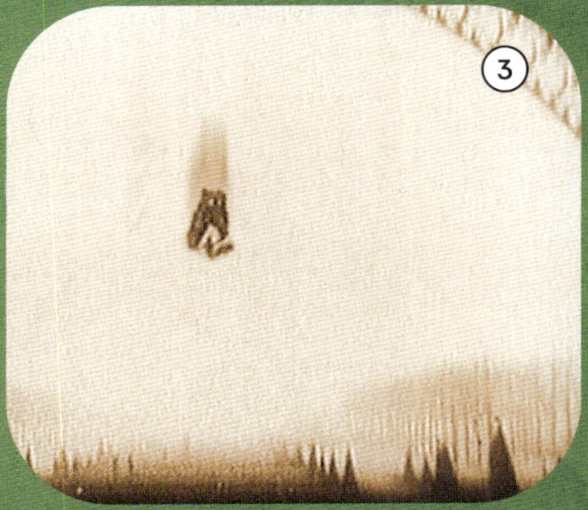

À vélo ou à moto

En 1923, à la suite d'un pari, le journaliste Pierre Labric descend à vélo les 363 marches du premier étage de la tour Eiffel. Plus tard, une descente sur monocycle est tentée avec succès par un cascadeur surnommé « Coin-Coin ». En 1983, deux motards grimpent à moto trial jusqu'au deuxième étage de la tour, puis redescendent par les mêmes moyens.

Un visiteur de poids

En 1948, pour ses 85 ans, la plus vieille éléphante du cirque Bouglione se voit offrir un bien étrange cadeau : une visite sur la tour Eiffel ! L'animal gravit avec succès les marches jusqu'au premier étage ! La photo ci-contre montre la singulière héroïne sur la première plate-forme.

Une ascension remarquée

En 1964, pour le 75e anniversaire de la tour Eiffel, deux alpinistes gravissent l'édifice jusqu'au sommet. La télévision retransmet l'ascension en direct. Au niveau du deuxième étage, un homme en costume et chaussures de ville, escaladant à toute allure les poutrelles, les rattrape. Il s'agit d'un ouvrier qui a repeint la tour Eiffel 2 ans auparavant !

AUJOURD'HUI

En 1964, la tour Eiffel a été classée monument historique et préservée à tout jamais de la démolition. Mondialement connue, elle est aujourd'hui l'emblème de Paris et de la France entière aux yeux de millions d'étrangers. C'est le monument payant le plus visité au monde. Près de 6 millions de visiteurs en font l'ascension chaque année ! La grande « dame de fer », comme on la surnomme avec respect, n'a pas fini de faire rêver.

Coup de pinceau

La tour Eiffel a été repeinte 19 fois depuis sa construction, soit environ une fois tous les 7 ans. Cette opération est nécessaire car elle protège l'édifice de la corrosion. Il faut 60 000 kg de peinture pour lui refaire une beauté ! Ce travail mobilise 25 peintres pendant 18 mois. La moindre poutrelle est repeinte au pinceau - dessus, dessous - dans des conditions très acrobatiques.

Une nouvelle jeunesse

Entre 1980 et 1985, la tour Eiffel a été entièrement auscultée et rénovée. La structure a été allégée de 1 348 tonnes (ajoutées au fil du temps) et des installations ont été construites. Outre les boutiques de souvenirs, on trouve aussi des buffets, deux restaurants et un bureau de poste. Depuis 2014, le premier étage de la tour Eiffel s'est doté d'un spectaculaire plancher de verre avec vue sur le vide. Frissons garantis ! Au fil de l'ascension, des panneaux explicatifs, des vidéos interactives et d'autres animations permettent de découvrir l'histoire et l'actualité de la tour qui peut même être visitée en soirée !

La tour illuminée

Chaque soir, de la tombée de la nuit à 1 heure du matin, la tour Eiffel se pare de son habit de lumière. 20 000 ampoules et 40 km de guirlandes lumineuses ont été installés par des alpinistes chevronnés. Pour ajouter à la féérie du spectacle, la tour scintille les 5 premières minutes de chaque heure tandis que le phare rayonne de toute sa splendeur sur Paris.

UN SOUVENIR DE LA TOUR

Toute personne qui visite la tour Eiffel veut emporter un souvenir de ce monument exceptionnel qui symbolise si bien Paris. On ne compte plus le nombre d'objets représentant la tour Eiffel qui sont achetés chaque année, ni le nombre de cartes (la carte postale la plus vendue dans le monde !).

Depuis plus d'un siècle, la silhouette de la tour Eiffel inspire des milliers d'articles qui sont proposés aux touristes et aux collectionneurs.

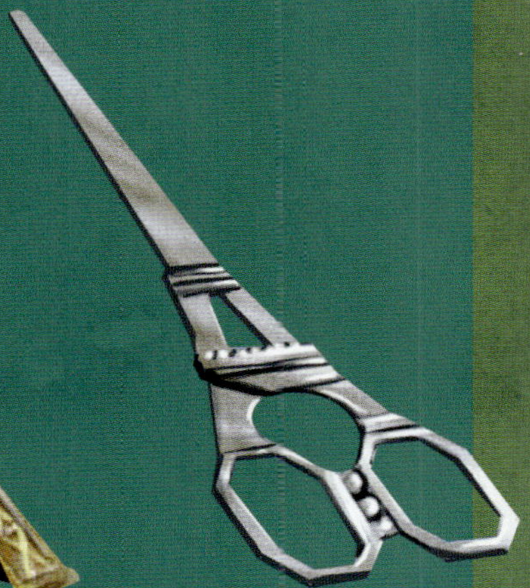

TABLE DES MATIÈRES

57, rue Gaston Tessier, CS 50061, 75166 Paris Cedex 19
www.fleuruseditions.com
Direction : Guillaume Pô
Direction éditoriale : Emmanuelle Braine Bonnaire
Conception de la collection : Émilie Beaumont et Jack Delaroche
Édition : Amandine Doubre
Conception graphique : Éric Laurin sous la direction de création de Élisabeth Hébert
Direction artistique : Bleuenn Auffret, assistée de Julien Di Giorgio
Mise en page : Graph'M
Direction de fabrication : Thierry Dubus
Fabrication : Axelle Hosten

Loi n° 49-956 du 16 juillet 1949 sur les publications destinées
à la jeunesse, modifiée par la Loi n° 2011-525 du 17 mai 2011.
Dépôt légal : janvier 2021
2e édition - N° d'édition : J21010
ISBN : 978-2-2151-5847-9 • MDS : 660407N1
Achevé d'imprimer en décembre 2020 en Italie
Par LEGO S.p.A par l'intermédiaire d'Ercom

IMPRIM'VERT®

Certifié PEFC
Ce produit est issu de forêts gérées durablement et de sources contrôlées
PEFC/18-31-280
www.pefc-france.org